D1271361

Puede consultar nuestro catálogo en www.edicionesobelisco.com / www.picarona.net

¡Otra vez!
Texto e ilustraciones: Emily Gravett

1.ª edición: enero de 2014

Título original: *Again!*

Traducción: *Joana Delgado*
Maquetación: *Marta Rovira Pons*
Corrección: *M.ª Ángeles Olivera*

Edita: Picarona, sello infantil de Ediciones Obelisco, S. L.
Pere IV, 78 3.ª planta, 5.ª puerta
08005 Barcelona - España
Tel. 93 309 85 25 - Fax 93 309 85 23
E-mail: picarona@picarona.net

Paracas, 59 C1275AFA Buenos Aires - Argentina
Tel. (541-14) 305 06 33 - Fax (541-14) 304 78 20

ISBN: 978-84-941549-1-1
Depósito Legal: B-17.955-2013

Printed in China

Este libro pertenece a...

Para Kian, Louis, Wayne y Terry

¡OTRA VEZ!

Emily Gravett

Era casi la hora
de irse a la cama

Cedric el dragón está enfadadísimo,
furioso y enrojecido.
Nunca, en toda su vida,
(ni una sola vez)
se ha ido a la cama.

Por la noche, cuando todo el mundo duerme,
merodea ruidosamente por la torre del castillo;
después, salta sobre el puente
dispuesto a ser malvado y astuto
y a atormentar a los gnomos
(que son por naturaleza tímidos).

Cuando todo este trajín le produce hambre,
se lanza a los cielos y arremete contra princesas,
que convierte en bizcochos o a veces en pasteles,
pero en ocasiones tan sólo en tostadas
(los bizcochos y los pasteles tardan mucho en hornearse).

Al final del día siempre grita la misma cantinela:
«¡MAÑANA VOLVERÉ A HACERLO OTRA VEZ!».

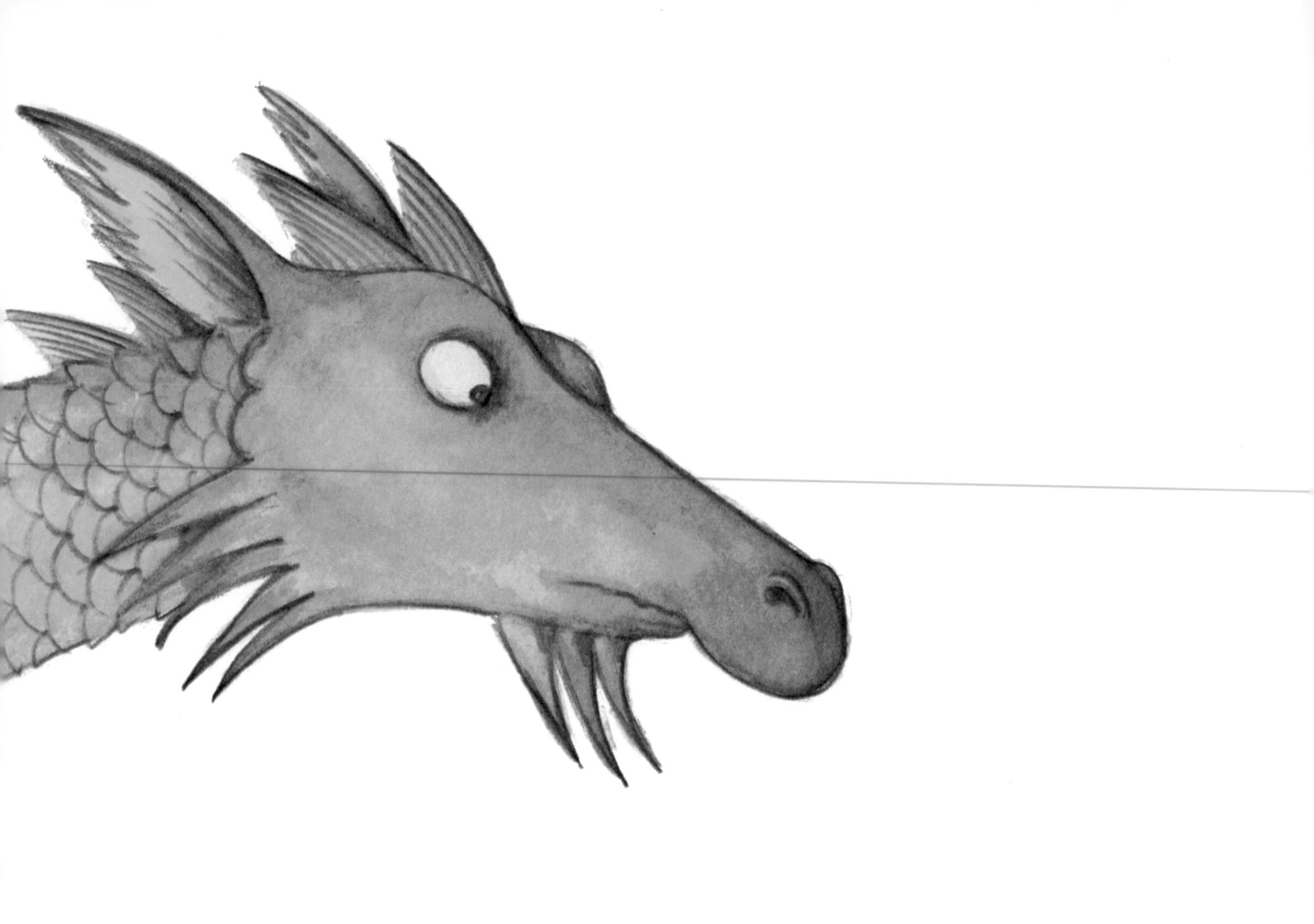

¿Otra vez?

Cedric el dragón está enfadadísimo,
furioso y enrojecido.
Nunca, en toda su vida,
(ni una sola vez)
se ha ido a la cama.

*Por la noche, cuando Cedric DEBERÍA estar durmiendo,
empieza a dar pisotazos por la torre del castillo;
después, salta sobre el puente gritando fuerte: «¡Perdón!»
para asustar a los gnomos (que no suelen inmutarse).*

*Cuando todo este trajín le produce hambre,
saca un pastel, que comparte con los gnomos.
Después, con un suspiro, vuelve a su torre
y grita la misma cantinela de siempre:*
«¡MAÑANA VOLVERÉ A HACERLO OTRA VEZ!».

3

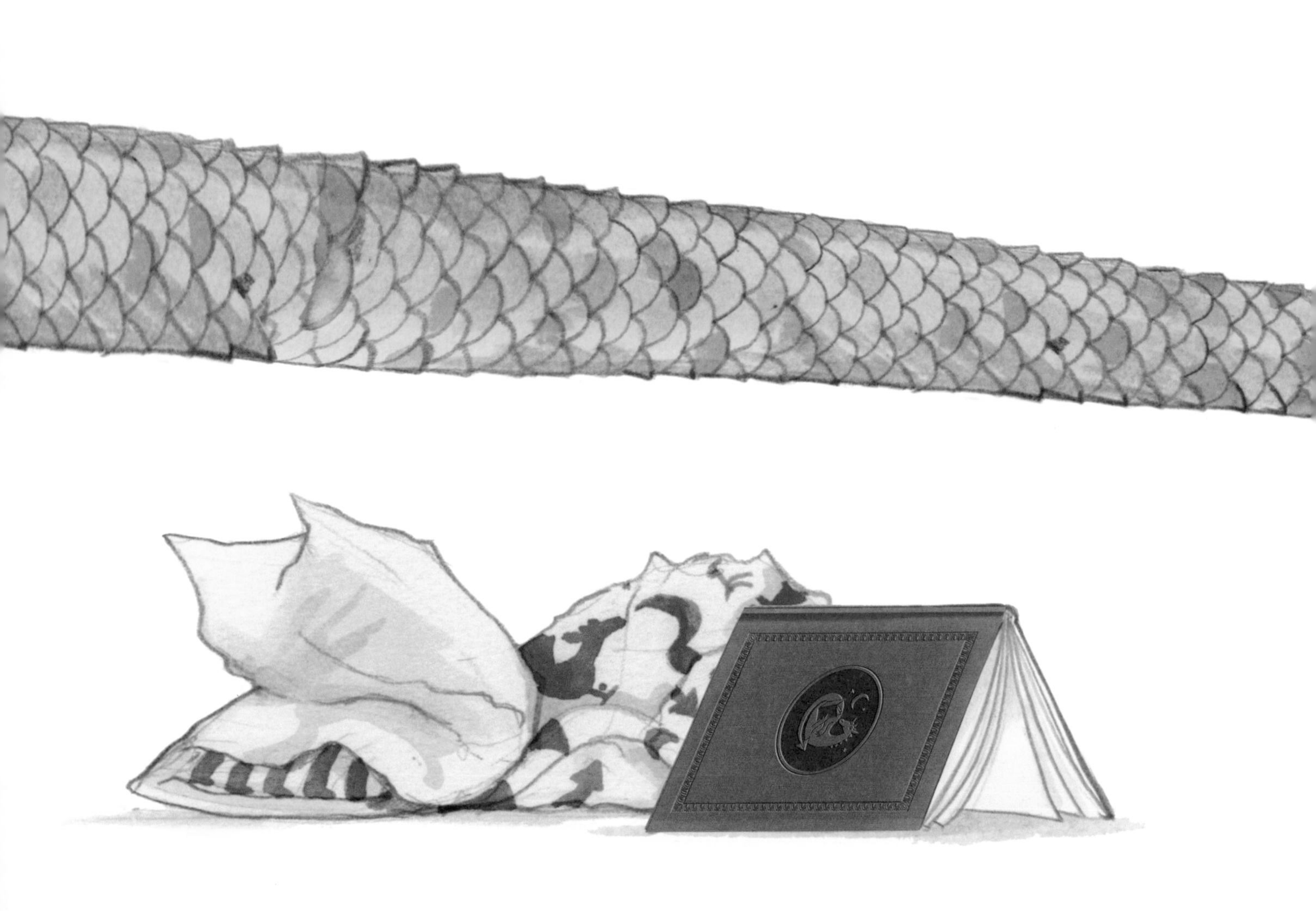

¡OTRA VEZ!

Cedric el dragón tiene muchísimo sueño.
Ha decidido que es hora de
IRSE REALMENTE A DORMIR.
Se ha hecho amigo de la princesa
y le ha deseado buenas noches.
Los gnomos están todos contentos.
La luna brilla en todo su esplendor.
Ahora, cerraré el libro y simplemente te diré:
«MAÑANA te lo leeré otra vez».
2

¡OTRA VEZ,
OTRA VEZ!

edric el dragón ya no está rojo.
Pues Cedric....
el dragón.... se ha dormido
en su cama...

¡OTRA VEZ!

¡OTRA VEZ! OTRA VEZ

OTRA VEZ OTRA VEZ

OTRA VEZ OTRA VEZ

¡OTRA VEZ!

Al final del día siempre grita la misma cantinela:
«¡MAÑANA VOLVERÉ A HACERLO
OTRA VEZ!».

¡OTRA

VEZ!
la misma cantinela:
HACERLO OTRA VEZ!»
ruidosamente
el puente
tardan muchos
ocasiones tan
produce hambre, se lanza a los cie
furioso y enrojecido.
dragón
astuto